Mae'r llyfr

DREF WEN

hwn yn perthyn i:

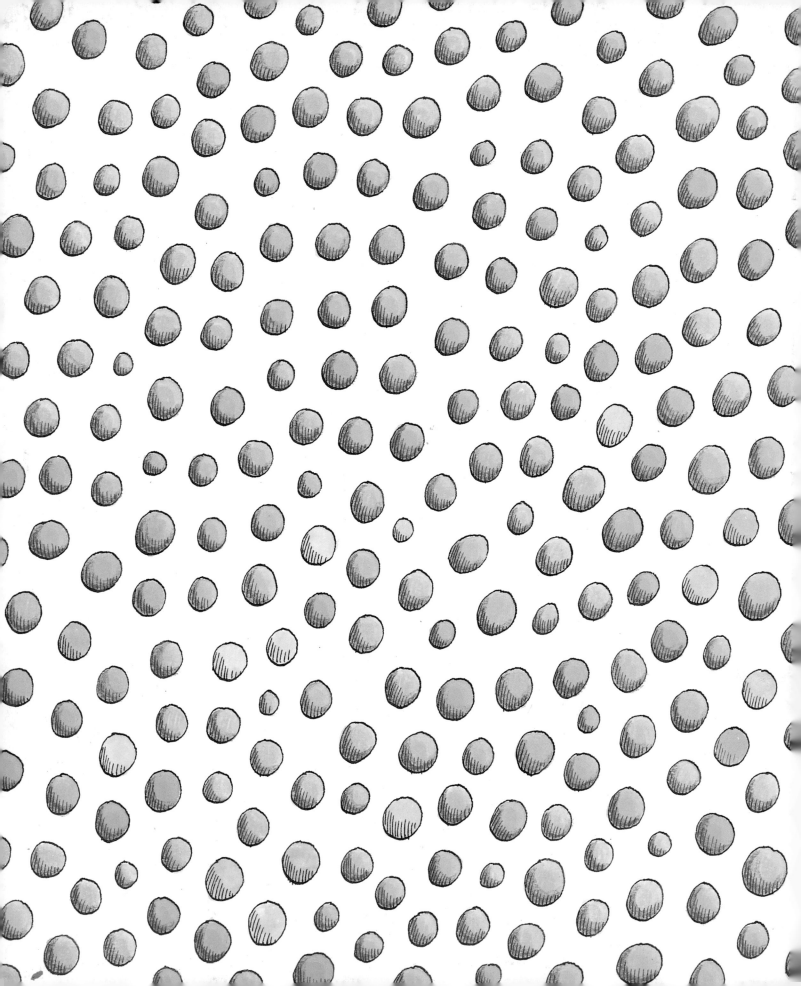

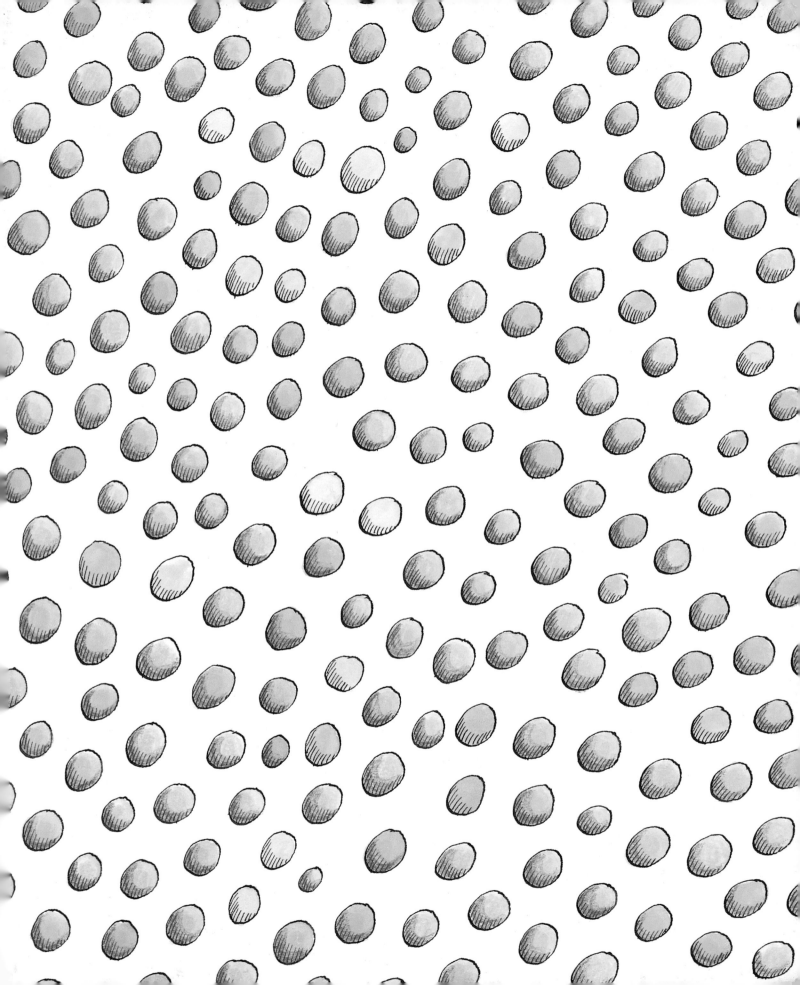

I
Sam, Peb, Trish a Ben.
Gyda chariad, El.

Cyhoeddwyd gyntaf yn Saesneg yn 2005
gan Scholastic Children's Books, Commonwealth House, 1-19 New Oxford Street,
Llundain WC1A 1NU
dan y teitl *Louie and the Monsters*

Y cyhoeddiad Cymraeg © 2005 Dref Wen Cyf.

Cyhoeddwyd yn Gymraeg yn 2005
gan Wasg y Dref Wen,
28 Ffordd yr Eglwys, Yr Eglwys Newydd,
Caerdydd CF14 2EA, Ffôn 029 20617860.

Argraffwyd yn Singapore.

Gethin a'r Monstyrs

Ella Burfoot
Trosiad Hedd a Non ap Emlyn

DREF WEN

Dydy Gethin
ddim yn hoffi
monstyrs,

ond mae monstyrs yn hoffi Gethin.

Maen nhw'n ei ddilyn e i fyny'r grisiau ...

... a'r holl ffordd i lawr eto.

Maen nhw'n eistedd gyda fe wrth y bwrdd ac yn bwyta'i ginio, ac mae'r pys yn mynd yn sownd yn eu dannedd.

Maen nhw'n chwarae gêmau dwl ac yn torri
ei deganau, ac maen nhw'n tynnu lluniau ar
y wal gyda'i hoff greonau.

Maen nhw'n gwthio'u hunain i mewn i guddfan Gethin a does dim lle iddo fe.

Maen nhw'n glafoerio ...

ac yn torri gwynt dros bob man!

Ond yna, mae Gethin yn cael llond bol.
Mae e'n gweiddi ac yn sgrechian ac yn
neidio i fyny ac i lawr hyd nes bod y
monstyrs yn gadael y tŷ yn dawel.

Yna, mae Gethin yn mynd i fyny'r grisiau
ar ei ben ei hun,

ac yn bwyta'i ginio ar ei ben ei hun.

Mae e'n eistedd yn ei guddfan ar ei ben ei hun. Ond mae'r grisiau'n ddiflas, a dydy e ddim yn hoffi pys … ac mae ei guddfan yn llawer rhy fawr iddo fe ei hun.

Dydy'r monstyrs ddim cynddrwg â hynny wedi'r cyfan. Mae Gethin yn dechrau teimlo'n euog am fod mor flin ac am weiddi a sgrechian. Mae e eisiau i'r monstyrs ddod yn ôl i'r tŷ.

Mae Gethin yn ysgrifennu neges ar ddarn
o bapur gyda'i hoff greonau.

Yna, mae e'n cymryd y neges a darn o dâp,

ac yn ei rhoi ar y glwyd.

Yna, mae e'n mynd yn ôl i'r tŷ
ac i fyny'r grisiau i'w ystafell wely.

SY

Mae'r monstyrs yn hoff o Gethin ...

ond mae Gethin
yn HOFF IAWN
o'r monstyrs!

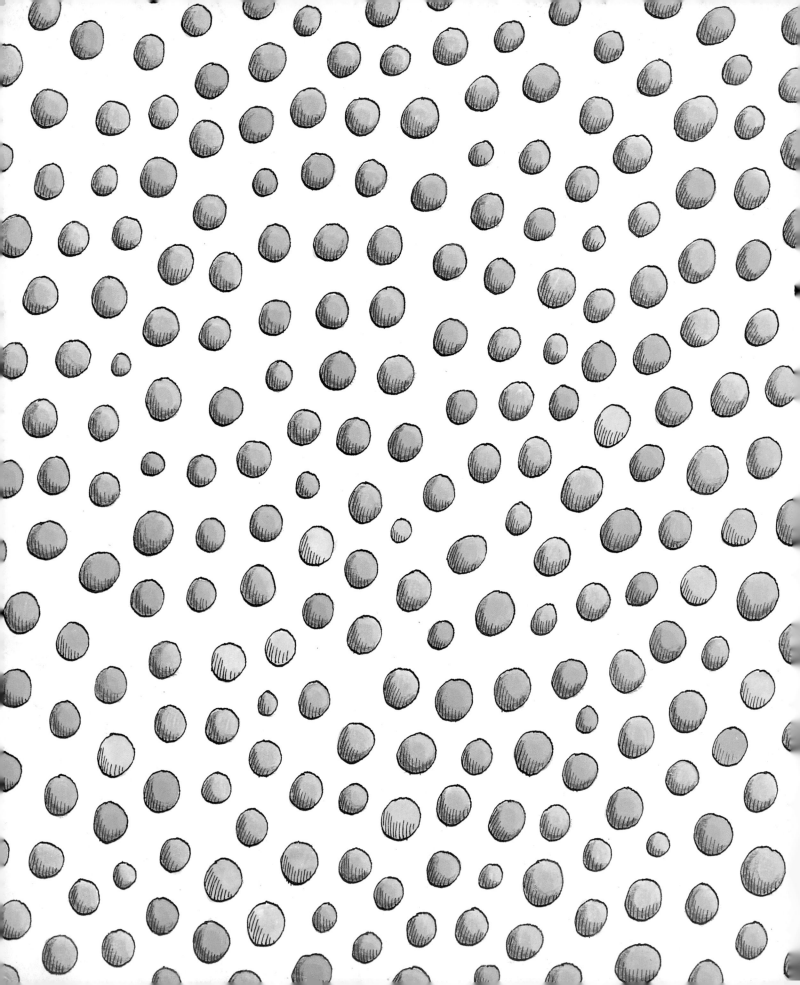

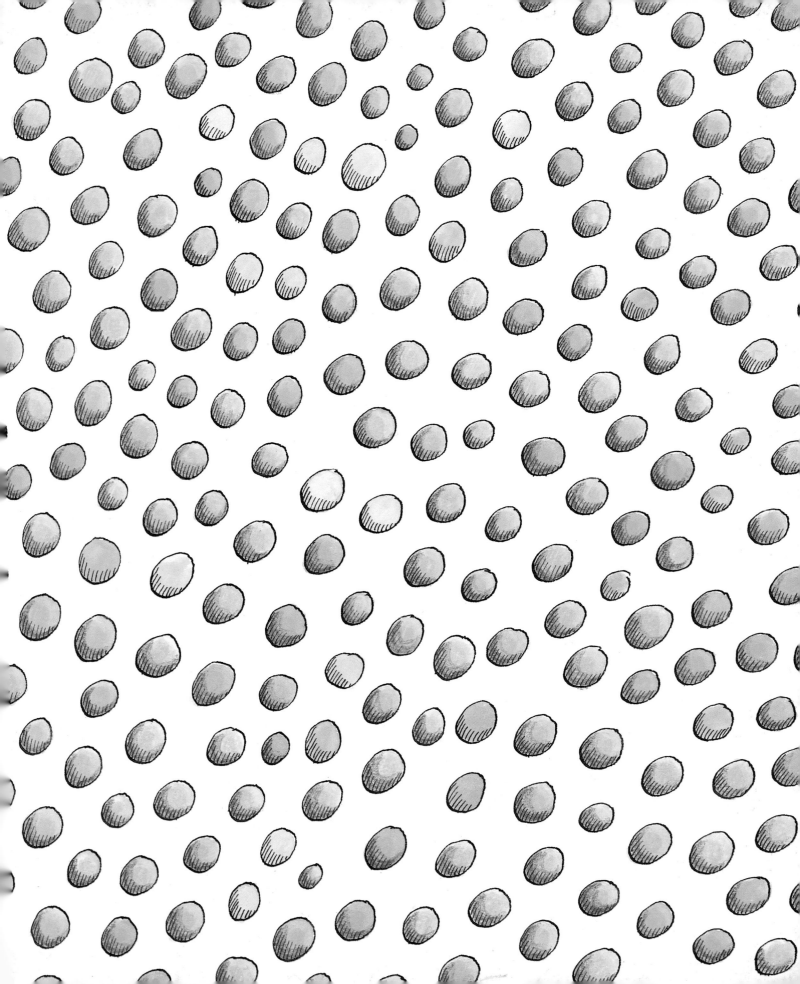